Puisín

Scríofa agus curtha in eagar ag Lisa Magloff
Deartha ag Sonia Moore agus Mary Sandberg
Bainisteoir Poiblíochta Sue Leonard
Eagarthóir Ealaíne Clare Shedden
Dearadh Clúdaigh Tony Chung
Taighdeoir Pictiúr Liz Moore
Léiriúchán Shivani Pandey
Dearthóir DTP Almudena Diaz
Leagan Gaeilge Máire Ní Chualáin

Foilsithe den chéad uair sa Bhreatain Mhór in 2005 ag
Dorling Kindersley Limited,
80 Strand, Londain WC2R ORL

ISBN: 978-1-906907-39-6

Ba mhaith le Futa Fata buíochas a ghabháil le COGG,
An Chomhairle um Oideachas Gaeltachta agus Gaelscolaíochta,
a thacaigh le foilsiú an leabhair seo.

An Chomhairle um Oideachas
Gaeltachta & Gaelscolaíochta

Clár

Is cat mise

Tá mé in ann cónaí in áit ar bith. Tá fionnadh bog orm chun mé a choinneáil te. Is breá liom a bheith ag pramsáil agus ag fiach luch.

Cabhraíonn eireaball fada an chait leis fanacht ina sheasamh.

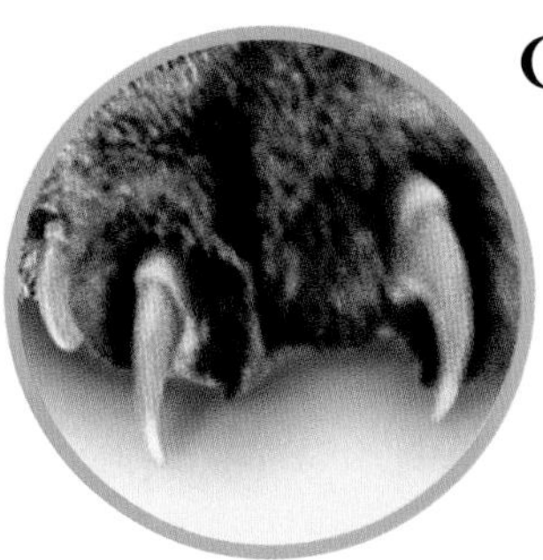

Cabhraíonn na crúba géara leis agus é ag fiach.

Seo mamaí agus daidí lenár gcairde agus ár gclann.

Feiceann an cat go maith sa dorchadas.

Cabhraíonn féasóg an chait leis fanacht ina sheasamh freisin.

Seoithín Seó

Caitheann an cat an chuid is mó den lá ina chodladh. Titeann sé ina chodladh go héasca.

Cas an leathanach anois agus féach orainn. Táimid ag fás...

Mo mhamaí agus mo dhaidí

Cónaíonn mamaí béal dorais do dhaidí. Chas siad le chéile sa ghairdín. Bhí ar dhaidí ruaig a chur ar go leor cat fireann eile sula raibh puisíní aige le mamaí.

Ag glanadh

Is breá le cait a gcuid fionnaidh a choinneáil glan. Líonn daidí a chuid lapaí agus níonn sé a aghaidh leo.

Tá bolg an mhamaí seo an-mhór mar gur gearr go mbeidh cuain óg aici.

Seo í mo mhamaí..... agus seo é mo dhaidí!

Tá mé lá amháin d'aois

Tá ocras orm. Tá sé in am agam beathú. Tugann mamaí cúnamh dúinn an bainne a fháil. Bímid brúite ach bíonn áit ann do gach duine!

Fanann an mháthair socair nuair a bhíonn a cuain ag beathú.

Nuabheirthe

Caitheann na puisíní an chéad chúpla lá ina luí i gcarnán le chéile ag iarraidh coinneáil te.

An raibh a fhios agat?

- Tá na puisíní dall, ach aithníonn siad boladh a mamaí.
- Codlaíonn siad an chuid is mó den lá.
- Tosaíonn siad ag crónán nuair a bhíonn dóthain bainne ólta acu.

Níonn mamaí sinn

Táimid ró-óg fós le sinn féin a ní. Líonn mamaí sinn ó chluas go eireaball! Bímid deas glan agus airímíd slán, sábháilte.

Marcaíocht saor in aisce
Ní bhíonn puisíní beaga in ann siúl. Beireann mamaí ina béal orthu chun iad a thabhairt ó áit go háit.

Tá sé in am ag mo dheirfiúr folcadán a bheith aici!

Tá mé coicís d'aois

Tá mo dhá shúil oscailte sa deireadh agus tá a fhios agam cá bhfuil mé ag dul. Tá mé in ann siúl go lag. Cloisim gach rud níos fearr anois freisin.

Feicim mo dheartháireacha agus mo dheirfiúracha (anois)!

Súile Cait!

Beidh na puisíní seo in ann feiceáil sa dorchadas nuair a fhásann siad. Úsáidfidh siad a súile le dul ag fiach san oíche.

Tá an puisín seo ag foghlaim le seasamh.

Glaonn na puisíní ar mhamaí agus bíonn a fhios aici cá mbíonn siad.

Am súgartha

Tá mé mí d'aois, agus lán le fuinneamh! Is breá linn a bheith ag súgradh le chéile. Bímid ag léim agus ag breith ar eireaball mhamaí, ach ní cheapaim go dtaitníonn sé an-mhaith léi!

A hAon, Dó, Trí!

Baineann puisíní sult as rudaí a chorraíonn. Seo mar a fhoghlaimíonn siad le dul ag fiach.

Is bréagán iontach é eireaball mhamaí do na puisíní.

Am lóin

Tá na puisíní ag ól bainne fós, ach tá siad ag tosú ag ithe bia eile freisin.

Ceapaim go bhfuil sé in am agaibh dul amach ag súgradh...

Troidsúgradh!

Ligimid orainn féin go mbímid ag troid. Níl ann ach cluiche agus ní ghortaítear aon duine.

Téim i bhfolach san fhéar agus léimim amach.

Tá mé ag teacht!

Cabhraíonn eireaball an phuisín leis agus é ag léim.

Níl anseo ach súgradh, agus ní úsáideann na puisíní a gcrúba.

Scanraithe

Ní fhaca an puisín seo frog cheana. Tá sé scanraithe, agus tá sé ag iarraidh cuma mhór a chur air féin.

Ag tóraíocht

Táimid deich seachtaine d'aois agus táimid fiosrach. Tá an ghéag seo go maith le dul ag tóraíocht uirthi. Bhí sé éasca teacht aníos ach níl sé éasca dul síos!

An é seo an bealach síos?

Féach orm
anois. Tá
mé dhá
sheachtain
déag agus
fásta suas.

Bun os cionn

Tagann cait anuas ar a gcosa i gcónaí. Seo mar gheall go bhfuil siad in ann casadh san aer.

Casann rothaí an tsaoil timpeall

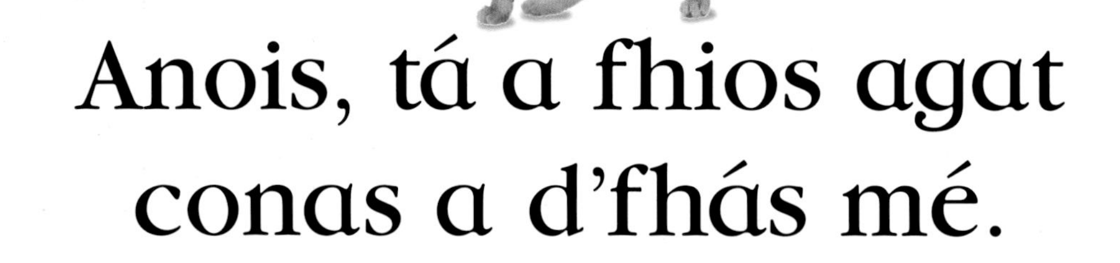

Anois, tá a fhios agat conas a d'fhás mé.

Slán agaibh. Tá mé ag iarraidh barróg!

Mo chairde ar fud an domhain

Is breá leis an gcat Siamach a bheith ag crónán ar feadh an lae.

Tá fionnadh fada sleamhain ar an bPeirseach Dearg.

An bhfeiceann tú cén fáth go nglaoitear

Is breá leis an gcat riabhach barróga a thabhairt duit agus é ina shuí i do ghabháil.

Bíonn gach saghas datha agus crutha ar chait ar fud an domhain.

Is clúmhach dlúth mín a bhíonn ar an sfioncs in áit fionnaidh.

Bíonn go leor dathanna ar an gcat Manannach ach ní bhíonn eireaball ar bith air.

Is cat ceaileacó mise.

an cat gearrfhionnaidh gorm orm?

An raibh a fhios agat?

- Bíonn an cat ag bolú le ball speisialta ar bharr a bhéil.
- Siúlann agus ritheann cait leis an dá chos chlé ar dtús agus ansin an dá chos dheas.
- Caitheann cait aon trian dá saol á slíocadh féin.

Foclóirín

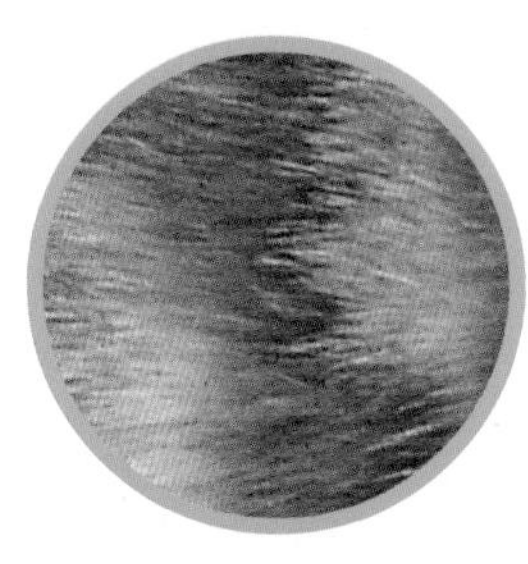

Fionnadh
An cóta 'gruaige' a chlúdaíonn agus a chosnaíonn an cat.

Preab
Léim ar rud nó ar ainmhí eile, cosúil le luch.

Cuain
Scata puisíní a thagann ar an saol ag an am céanna.

Crónán
An fhuaim a dhéanann cat nuair a bhíonn sé sásta.

Ag beathú
Puisíní ag ól bainne ó chíoch a máthar.

Teanga
Tá teanga an chait an-gharbh, agus bíonn sé ag líochán léi.

Creidiúintí

Ba mhaith leis an bhfoilsitheoir buíochas a ghlacadh leo seo a leanas faoina gcaoinchead a gcuid grianghraf a fhoilsiú: (Eochair: u-uachtar, l-lár, í-íochtar, c-clé, d-deis, b-barr).
1 Powerstock: Frank Lukasseck l. 2-3 Zefa Visual Media: Frank Lukasseck. 3 Powerstock: Martin Rugner l. 4 Getty Images: Taxi cfl. 4-5 Steven Moore Photography. 4-5 Warren Photographic: Jane Burton x2. 5 Corbis: Helen King lc. 5 Getty Images: Stone ul; Taxi ldu. 6 DK Images: Dave King líc. 6 Steven Moore Photography: lc. 6-7 Steven Moore Photography. 7 DK Images: Jane Burton c, d. 8 DK Images: Jane Burton, ílc. 8-9 DK Images: Jane Burton. 8-9 Steven Moore Photography. 10 OSF/photolibrary.com: IPS Photo Index lí. 10 Warren Photographic: Jane Burton íld. 11 Warren Photographic: Jane Burton l. 12 Warren Photographic: Jane Burton, líc. 12-13 Steven Moore Photography. 12-13 Warren Photographic: Jane Burton. 13 Nature Picture Library Ltd: Pete Oxford bc. 14 Warren Photographic: Jane Burton lír. 14-15 Steven Moore Photography. 14-15 Warren Photographic: Jane Burton.
15 Steven Moore Photography: bc. 15 Warren Photographic: Jane Burton bc. 16 Powerstock: age fotostock lcu. 16-17 Powerstock: Martin Rugner/age fotostock. 17 DK Images: Geoff Brightling lí. 17 Steven Moore Photography: íld. 17 Warren Photographic: Jane Burton íd. 18-19 Warren Photographic: Jane Burton. 19 N.H.P.A.: Agence Nature d. 19 Warren Photographic: Jane Burton íc. 20 Alamy Images: Isobel Flynn l. 20 Warren Photographic: Jane Burton lcu, lu, ldu, ldí, íl, ílc, íld, lud, lc, ld. 21 OSF/photolibrary.com: Dave Kingdon/IndexStock b. 21 Warren Photographic: Jane Burton lí. 22 DK Images: Dave King lcu, ldu; 22 Warren Photographic: Jane Burton bc. 22-23 DK Images: Marc Henrie. 23 DK Images: Dave King bd; Marc Henrie lu. 23 Powerstock: Martin Rugner/age fotostock íd. 24 DK Images: Jane Burton lcu, lcí. 24 OSF/photolibrary.com: líd. 24 Powerstock: Martin Rugner/age fotostock lud. 24 Warren Photographic: Jane Burton lcu, lud.

Tuilleadh eolais: www.dkimages.com